O Profeta

Profeta

De Khalil Gibran

Tradução de Marcia Men

TEMPORALIS

Título original: *The Prophet*
Copyright © by Khalil Gibran

O profeta
1ª edição: Maio 2022

Direitos reservados desta edição: CDG Edições e Publicações

O conteúdo desta obra é de total responsabilidade do autor e não reflete necessariamente a opinião da editora.

Autor:
Khalil Gibran

Tradução:
Marcia Men

Preparação de texto:
João Paulo Putini

Revisão:
Jacob Paes e Leticia Tèofilo (Tecendo Letras)

Capa e projeto gráfico:
Jacob Paes

Imagem de capa:
Freepik.com

DADOS INTERNACIONAIS DE CATALOGAÇÃO NA PUBLICAÇÃO (CIP)

Gibran, Khalil
   O profeta / Khalil Gibran; tradução de Marcia Men. — Porto Alegre: Citadel, 2022.
   128 p.

   ISBN 978-65-5047-150-7
   Título original: The prophet

   1. Ficção libanesa I. Título II. Men, Marcia

22-1622   CDD 892.7

Angélica Ilacqua – Bibliotecária – CRB-8/7057

Produção editorial e distribuição:

contato@citadel.com.br
www.citadel.com.br

Sumário

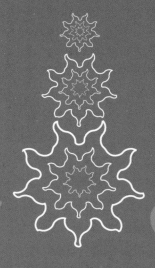

Amor, 15
Casamento, 19
Crianças, 23
Doar, 27
Comer e Beber, 31
Trabalho, 35
Alegria e Tristeza, 41
Casas, 45
Vestes, 49
Comprar e Vender, 51
Crime e Punição, 55
Leis, 61
Liberdade, 65
Razão e Paixão, 69
Dor, 73
Autoconhecimento, 75
Ensinar, 79
Amizade, 81
Conversar, 85
Tempo, 89
O Bem e o Mal, 93
Oração, 97
Prazer, 101
Beleza, 105
Religião, 109
Morte, 113

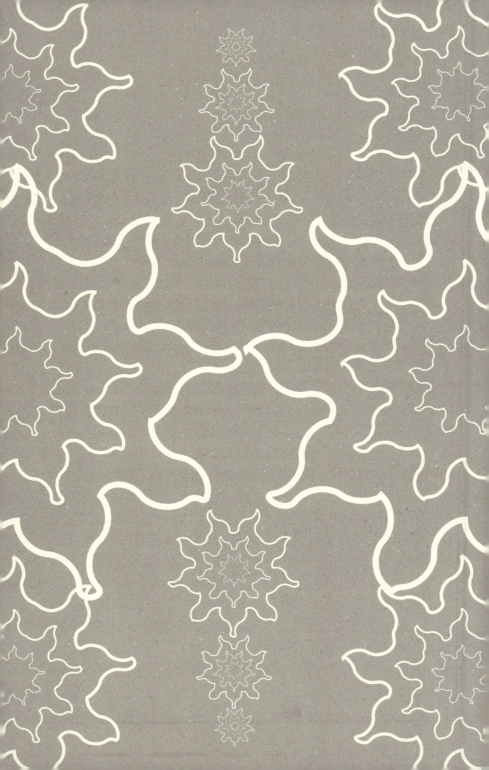

Almustafa, o escolhido e adorado, que era um despertar para seu próprio dia, esperou doze anos na cidade de Orphalese pelo navio que estava para retornar e levá-lo de volta para a ilha onde nascera.

E no décimo segundo ano, no sétimo dia do Ielool, o mês da colheita, ele escalou a colina além dos muros da cidade, olhou em direção ao mar e avistou seu navio vindo com o nevoeiro.

Então os portões de seu coração foram abertos e sua alegria voou em direção ao mar. E ele fechou os olhos e rezou nos silêncios de sua alma.

~~~~~~

Mas, enquanto descia a colina, uma tristeza tomou conta de Almustafa e ele pensou em seu coração:

Como poderei ir em paz e sem tristeza? Não, não deixarei esta ilha sem uma marca no espírito. Longos foram os dias de dor que passei dentro destes muros e longas foram as noites de solidão; e quem pode partir de sua dor e solidão sem arrependimento?

Muitos fragmentos de meu espírito espalhei por estas ruas e muitos são os filhos de minha espera que caminham nus por estas colinas, e não posso me afastar deles sem um fardo e uma dor.

Não é uma vestimenta que eu tiro hoje, mas uma pele que rasgo com minhas próprias mãos.

E nem é um pensamento que deixo para trás, mas um coração adoçado pela fome e pela sede.

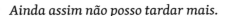

Ainda assim não posso tardar mais.

O mar que chama para ele todas as coisas agora também me chama e eu devo embarcar.

Pois ficar, apesar de as horas queimarem na noite, é congelar e cristalizar, e ficar preso em um molde.

De bom grado levaria comigo tudo que aqui está. Mas como poderia?

A voz não pode carregar a língua e os lábios que lhe deram asas. Ela deve sozinha procurar o etéreo.

E sozinha e sem seu ninho deve a águia voar através do sol.

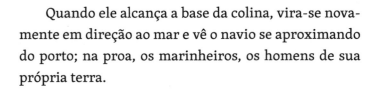

Quando ele alcança a base da colina, vira-se novamente em direção ao mar e vê o navio se aproximando do porto; na proa, os marinheiros, os homens de sua própria terra.

Sua alma gritou e ele disse:

— Filhos de minha mãe ancestral, vocês, cavaleiros das ondas,

Quantas vezes vocês navegaram em meus sonhos.

E agora chegam em meu despertar, que é meu sonho mais profundo.

Estou pronto para partir, e minha avidez, com velas estendidas, aguarda o vento.

Apenas mais um suspiro darei neste ar parado, apenas outro olhar amoroso lançado para trás,

E então deverei estar entre vocês, um marinheiro entre marinheiros. E você, vasto mar, mãe insone,

Que sozinha é a liberdade para rios e riachos,

Apenas mais uma curva este riacho fará, só mais um murmúrio nesta senda,

E então deverei ir até você, uma gota ilimitada num oceano ilimitado.

E enquanto caminhava, ele avistou de longe homens e mulheres deixando os campos e vinhedos e se apressando em direção aos portões da cidade.

E ele ouviu as vozes chamando por seu nome e gritando de um campo para outro, informando uns aos outros da chegada do navio.

E ele disse para si:

— Deve o dia da partida ser o dia da reunião?

E deve ser dito que meu anoitecer era, na verdade, meu amanhecer?

E o que devo eu dar àquele que abandonou seu arado em meio ao trabalho, ou àquele que parou a roda de sua prensa de vinho? Deve meu coração se tornar uma árvore carregada de frutos que eu possa juntar e dar a eles?

E devem meus desejos fluírem como uma fonte para que eu encha suas taças?

Sou eu a harpa que a mão do poderoso tocará, ou a flauta que seu hálito atravessará?

Sou eu um caçador de silêncios, e que tesouro encontrei em silêncios que possa abrir mão com confiança?

Se este é o meu dia da colheita, em quais campos espalhei a semente e em que estações esquecidas?

Se esta é realmente a hora em que eu levanto minha lanterna, não é a minha chama que deve queimar ali.

Vazia e escura devo erguer minha lanterna,

E o guardião da noite a preencherá com óleo e a acenderá também.

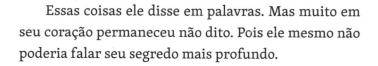

Essas coisas ele disse em palavras. Mas muito em seu coração permaneceu não dito. Pois ele mesmo não poderia falar seu segredo mais profundo.

E quando ele entrou na cidade, todo o povo veio encontrá-lo e gritavam para ele como se fossem uma só voz.
E os anciões da cidade adiantaram-se e disseram:
— Não nos deixe ainda.
Você foi uma luz do meio-dia em nosso crepúsculo e sua juventude nos deu sonhos para sonhar.
Você não é um estranho entre nós, nem um convidado, mas nosso filho e bem-amado.
Não permita ainda que nossos olhos tenham fome de seu rosto.

E os sacerdotes e sacerdotisas lhe disseram:
— Não permita que as ondas do mar nos separem agora e que os anos que passou entre nós se tornem uma memória.
Você andou entre nós como um espírito e sua sombra tem sido uma luz em nossos rostos.
Muito o amamos. Mas mudo foi nosso amor e com véus ele foi coberto.
Ainda assim, ele grita por você e está revelado à sua frente.
E sempre ocorreu de o amor não saber o quão profundo é até a hora da despedida.

~~~~~~~~

E outros também vieram e a ele suplicaram. Mas ele não lhes respondeu; apenas curvou a cabeça. E aqueles que estavam mais próximos viram as lágrimas caindo sobre seu peito.

E ele e o povo seguiram em direção à grande praça defronte ao templo.

E daquele santuário saiu uma mulher cujo nome era Almitra. E ela era uma vidente.

E ele olhou para ela com enorme carinho, pois foi ela quem primeiro buscou e acreditou nele quando estava há apenas um dia na cidade. E ela o saudou dizendo:

— Profeta de Deus, em busca de algo maior, por muito tempo você procurou nas distâncias por seu navio.

E agora seu navio chegou e você deve partir.

Profundo é seu desejo pela terra de suas memórias e a morada de seus maiores desejos; e nosso amor não poderia amarrá-lo, nem nossas necessidades segurá-lo.

Ainda assim, pedimos que, antes que nos deixe, fale conosco e nos dê sua verdade.

E nós a daremos aos nossos filhos e eles aos filhos deles e assim ela não perecerá.

Em sua solidão você assistiu a nossos dias, e em sua vigília você ouviu o choro e os risos em nosso sono.

Agora nos revele a nós mesmos e conte-nos tudo que foi mostrado a você, que compreende o que está entre o nascimento e a morte.

~~~~~~

E ele respondeu:

— Povo de Orphalese, do que eu poderia falar senão daquilo que está se movendo dentro de suas almas agora mesmo?

~~~~~~

Então Almitra pediu:
— Fale-nos sobre o **Amor**.
E ele ergueu a cabeça e olhou para o povo e ali sentiu um silêncio solene sobre eles. E com uma voz alta, ele disse:
— Quando o amor lhe chamar, siga-o,
Ainda que seu caminho seja difícil e íngreme.
E quando suas asas lhe envolverem, não resista,
Ainda que a espada escondida entre suas penas machuque você,
E quando ele falar com você, acredite,
Ainda que sua voz possa destruir seus sonhos como o vento do norte destrói o jardim.

Pois mesmo que o amor o coroe, ele também irá crucificá-lo. Mesmo que ele o faça crescer, ele o podará.

Mesmo que ele suba à sua altura e acaricie seus galhos tenros que tremem sob o sol,
Ele também descerá até suas raízes e dificultará sua aderência à terra.

~~~~~

— Como feixes de milho ele o colhe
Ele o debulha para deixá-lo nu.
Ele o peneira para livrá-lo de sua casca.

Ele o mói até que se torne pó.

Ele o sova até que você se torne maleável;

Então o coloca em seu fogo sagrado, para que você se transforme em pão sagrado para o banquete sagrado de Deus.

———

— Todas essas coisas o amor fará com você para que você conheça os segredos de seu coração, e nesse conhecimento se torne um fragmento do coração da Vida.

Mas se em seu medo você apenas busca a paz do amor ou o prazer do amor,

Então é melhor para você que cubra sua nudez e passe longe da eira do amor,

Dentro do mundo sem estações onde você rirá, porém não todos os seus risos, e chorará, mas não todas as suas lágrimas.

———

— O amor não dá nada a não ser ele mesmo e não tira nada a não ser dele mesmo.

Amor não possui nem poderia ser possuído;

Pois o amor é suficiente por si mesmo.

Quando você ama, não deveria dizer: "Deus está em meu coração", e sim "Estou no coração de Deus".

E não pense que você pode dirigir o curso do amor, pois o amor, se o julgar digno, dirige o seu curso.

O amor não tem outro desejo senão o de se realizar.

Mas se você ama e tem desejos, deixe que estes sejam seus desejos:

Derreter-se e se tornar um riacho que canta sua melodia para a noite. Conhecer a dor do excesso de ternura;

Ferir-se por seu próprio entendimento do amor;

E sangrar voluntária e alegremente.

Levantar-se ao amanhecer com um coração alado e agradecer por mais um dia de amor.

Descansar ao entardecer e meditar sobre o êxtase do amor;

Retornar para casa ao anoitecer com gratidão;

E então adormecer com uma oração para a amada em seu coração e uma canção de louvor em seus lábios.

E ntão Almitra falou novamente:
— E sobre Casamento, mestre?
E ele respondeu:
— Vocês nasceram juntos e juntos ficarão para sempre.
Vocês estarão juntos quando as brancas asas da morte dispersarem os seus dias.
Sim, vocês estarão juntos mesmo na silente memória de Deus.
Mas deixem que existam espaços em sua comunhão,
E deixem os ventos celestiais dançarem entre vocês.

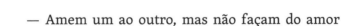

— Amem um ao outro, mas não façam do amor uma obrigação:
Em vez disso, deixem que seja um mar movendo-se entre as enseadas de suas almas.
Encham o copo um do outro, mas não bebam do copo do outro.
Distribuam o pão um para o outro, mas não comam do mesmo pedaço. Cantem e dancem juntos e sejam felizes, mas permitam que cada um possa estar sozinho,

Assim como as cordas do alaúde estão sozinhas, embora vibrem com a mesma música.

— Entreguem seus corações, mas não para que um guarde o do outro.

Pois apenas as mãos da Vida podem conter seus corações.

E fiquem juntos, mas não perto demais um do outro;

Pois as pilastras do templo ficam separadas,

E os carvalhos e ciprestes não crescem nas sombras uns dos outros.

E uma mulher que segurava uma criança contra o peito disse:
— Fale-nos sobre as Crianças.
E ele afirmou:
— Seus filhos não são seus filhos.
Eles são filhos e filhas da Vida, desejosos dela mesma.
Eles vêm por você, mas não de você,
E ainda que eles estejam com você, eles não pertencem a você.

— Você pode dar a eles seu amor, mas não seus pensamentos,
Pois eles têm seus próprios pensamentos.
Você pode abrigar o corpo, mas não a alma, deles,
Pois suas almas moram na casa do amanhã, a qual você não pode visitar, nem mesmo em seus sonhos.
Você pode se esforçar para ser igual a eles, mas não procure fazer com que eles sejam iguais a vocês. Pois a vida não anda para trás nem espera pelo ontem.
Você é o arco pelo qual seus filhos, como flechas vivas, são lançados adiante.

O Arqueiro vê a marca no infinito caminho e Ele o enverga com toda Sua força para que Suas flechas voem rápido e longe.

Deixe que o Arqueiro lhe envergue e seja grata;

Pois mesmo que Ele ame a flecha que lança, Ele também ama o arco estável.

Então disse um homem rico:
— Fale-nos sobre Doar.
E ele respondeu:
— Você doa muito pouco quando doa suas posses. É quando você doa a si mesmo que doa verdadeiramente.

Pois o que são suas posses se não coisas que você mantém e guarda por medo de que precise delas amanhã?

E o amanhã, o que pode trazer para o cão cauteloso enterrando ossos nas areias sem rastros enquanto segue os peregrinos para a cidade santa?

E o que é o medo da necessidade, se não a própria necessidade?

Ter medo da sede quando seu poço está cheio não significa ter uma sede insaciável?

Existem aqueles que doam pouco do muito que têm — e doam pelo reconhecimento, e seu desejo secreto torna seus presentes incompletos.

E há aqueles que têm pouco e doam tudo.

Esses são os que creem na vida e na riqueza da vida, e seus cofres nunca estão vazios.

Existem aqueles que doam com alegria, e essa alegria é sua recompensa.

E existem aqueles que doam com dor, e essa dor é seu batismo.

E existem aqueles que dão e não sentem dor nenhuma em doar, e também não procuram alegria nem doam com a virtude em mente;

Eles doam como no vale distante a murta emite sua fragrância no ar.

Deus fala pelas mãos de pessoas como essas e, por trás de seus olhos, Ele sorri sobre a terra.

É bom doar quando isso é pedido, mas é melhor doar sem que peçam, por meio do entendimento;

E para quem doa, a procura por alguém que receba é uma alegria maior do que a doação.

E há alguma coisa que você deva reter?

Tudo o que você tem deve ser dado algum dia;

Portanto, doe agora, para que o tempo de doar possa ser seu e não de seus herdeiros.

Você diz com frequência: "Eu doaria, mas apenas para quem merece".

As árvores em seu orquidário não dizem isso, nem o rebanho em seu pasto.

Eles doam para que possam viver, pois reter é perecer.

Com certeza aquele que é digno de receber seus dias e suas noites é digno de receber qualquer outra coisa de você.

E aquele que mereceu beber do oceano da vida merece encher sua taça em seu pequeno riacho.

E que merecimento maior pode existir do que aquele que está na coragem e na confiança, ou melhor, na caridade de receber?

E quem é você para que homens devam abrir o peito e revelar seu orgulho, para que você possa enxergar seu valor nu e seu orgulho despudorado?

Cuide primeiro para que você mereça ser um doador e um instrumento da doação.

Pois na verdade é a vida que doa à vida — enquanto você, que se considera um doador, é somente uma testemunha.

E vocês, recebedores — e todos são recebedores —, não assumam o peso da gratidão, para que não coloquem um jugo em vocês mesmos e naquele que doa.

Ao contrário: eleve-se junto ao doador em seus presentes como se fossem asas;

Pois pensar demais em sua dívida é duvidar da generosidade de quem tem a terra livre como mãe e Deus como pai.

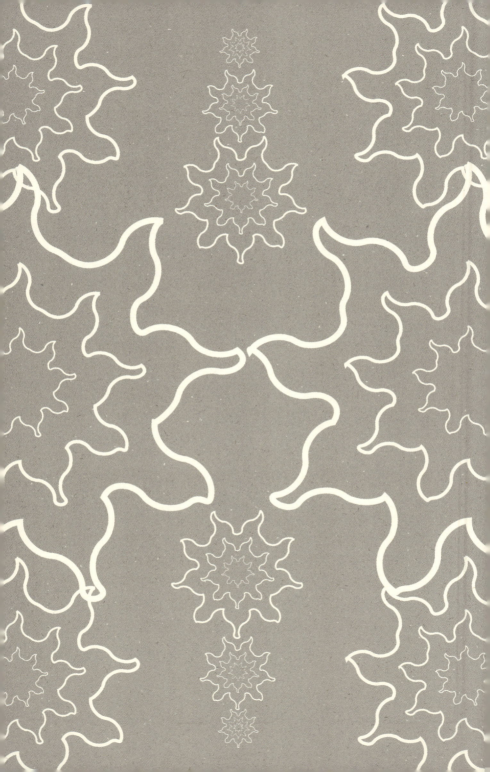

Então um velho, dono de uma estalagem, disse:
— Fale-nos sobre **Comer e Beber**.

E ele respondeu:
— Seria bom se pudéssemos viver das fragrâncias da terra e, como uma planta, ser sustentado pela luz.

Mas já que devemos matar para comer e roubar o leite da mãe do recém-nascido para saciar nossa sede, que isso seja um ato de adoração,

E permitamos que nossa mesa seja um altar onde o puro e o inocente da planície sejam sacrificados para aquilo que é ainda mais puro e inocente no homem.

— Quando você mata um animal, diga a ele em seu coração:

"Pelo mesmo poder que o mata, eu também sou morto; e eu também deverei ser consumido. Pois a lei que entrega você a minhas mãos deverá me entregar a mãos mais fortes do que as minhas.

Seu sangue e meu sangue não são nada além da seiva que alimenta a árvore do céu."

E quando você esmagar uma maçã entre seus dentes, diga a ela em seu coração:
Suas sementes viverão em meu corpo,
E os brotos de seu amanhã florescerão em meu coração.
"E sua fragrância será meu hálito e juntos nos alegraremos através das estações."

E no outono, quando você juntar as uvas de seu vinhedo para a prensa de vinho, diga em seu coração:
"Eu também sou um vinhedo, e meu fruto será colhido para a prensa de vinho,
E como vinho novo serei mantido em recipientes eternos."
E no inverno, quando você servir o vinho, permita que haja em seu coração uma canção para cada taça;
E que exista na canção uma lembrança dos dias de outono, do vinhedo e da prensa de vinho.

Então um lavrador pediu:
— Fale-nos sobre Trabalho.
E ele respondeu:
— Você trabalha para acompanhar o ritmo da terra e da alma da terra.

Pois estar ocioso é se tornar um estranho para as estações e sair da procissão da vida que marcha em majestosa e orgulhosa submissão em direção ao infinito.

Quando trabalha, você é uma flauta em cujo coração o sussurro das horas se transforma em música.

Qual de vocês preferiria ser o junco, sem graça e silencioso, quando o restante canta em uníssono?

Sempre lhes disseram que trabalho é uma maldição, e o esforço, um infortúnio.

Mas eu lhes digo que, quando você trabalha, completa uma parte do sonho mais profundo da terra, designada a você quando esse sonho nasceu,

E ao se manter trabalhando, você está, na verdade, amando a vida,

E amar a vida por meio do trabalho é estar íntimo do segredo mais profundo da vida.

— Mas se você, em sua dor, chama a vida de aflição,

e o sustento da carne, de maldição escrita em sua testa, então respondo que nada além do suor de sua testa lavará isso que está escrito.

Também lhe disseram que a vida é escuridão e, em seu cansaço, você ecoa o que foi dito pelo cansado.

E eu digo que a vida é realmente trevas, a não ser que exista vontade,

E toda vontade é cega, a não ser que exista conhecimento,

E todo conhecimento é vão, a não ser que exista trabalho,

E todo trabalho é vazio, a não ser que exista amor;

E quando trabalha com amor, você se une a si mesmo e uns aos outros, e a Deus.

———

— E o que é trabalhar com amor?

É tecer a malha com fios tirados de seu coração, como se a pessoa amada fosse vestir aquele tecido.

É construir uma casa com afeição, como se a pessoa amada fosse morar naquela casa.

É plantar as sementes com ternura e ceifar a colheita com alegria, como se a pessoa amada fosse comer o fruto.

É empregar em tudo que é feito por você um pouco de seu próprio espírito,

E saber que todos os que já se foram estão ao seu lado, observando.

Com frequência, ouvi você dizer, como se falando enquanto dorme: "Aquele que trabalha com mármore e encontra a forma da própria alma na pedra é mais nobre que aquele que ara a terra. E aquele que pega um arco-íris para colocá-lo em um tecido feito à semelhança do homem é maior do que aquele que faz as sandálias para seus pés".

Mas eu digo, não em meu sono mas no ápice de minha lucidez, que a voz do vento não é mais doce do que a dos carvalhos gigantes nem do que a das pequenas folhas de grama;

E grande é aquele que transforma a voz do vento em uma canção ainda mais doce pelo seu próprio amor.

— Trabalho é o amor tornado visível.

E se você não consegue trabalhar com amor, apenas com desgosto, é melhor que deixe seu trabalho, sente-se no portão do templo e pegue esmolas daqueles que trabalham com alegria.

Pois se você assa pão com indiferença, assa um pão amargo e sacia apenas metade da fome de um homem.

E se você prensa as uvas com rancor, seu rancor destila um veneno no vinho. E se você canta como os anjos, mas não ama cantar, você abafa o ouvido do homem para as vozes do dia e as vozes da noite.

Então uma mulher disse:
— Fale para nós sobre Alegria e Tristeza.

E ele respondeu:
— Sua alegria é sua tristeza sem máscara.

E o mesmo poço que origina sua risada esteve frequentemente cheio com suas lágrimas.

E de que outro jeito poderia ser? Quanto mais a tristeza cava dentro do seu ser, mais alegria cabe dentro dele.

A taça que contém o vinho não é a mesma taça que queimou no forno do oleiro?

E não é o alaúde que acalma seu espírito a mesma madeira que foi esculpida com facas?

Quando você está feliz, olhe no fundo do seu coração e descobrirá que a mesma coisa que o entristeceu está lhe dando alegria.

Quando estiver triste, olhe novamente para seu coração e verá que, na verdade, está chorando por aquilo que tem sido sua felicidade.

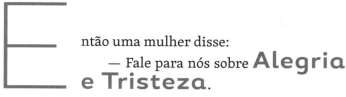

— Alguns de vocês dizem: "A alegria é mais forte que a tristeza", e outros dizem: "Não, a tristeza é mais forte".

Mas eu lhes digo, elas são inseparáveis.

Elas vêm juntas, e quando uma se senta sozinha com você em sua mesa, lembre-se de que a outra está dormindo em sua cama.

Na verdade, você está suspenso como os pratos de uma balança entre sua tristeza e sua alegria.

Apenas quando está vazio você fica imóvel e equilibrado.

Quando o tesoureiro o levanta para pesar seu ouro e sua prata, é necessário que sua alegria e tristeza subam ou desçam.

~~~~~~

Então um pedreiro se aproximou e pediu:
— Fale-nos sobre Casas.

E ele respondeu, orientando:
— Construa em sua imaginação uma cabana na natureza antes de construir uma casa dentro dos muros de uma cidade.

Pois assim como você tem regressos em seu crepúsculo, o mesmo se pode dizer do andarilho em você, sempre distante e solitário.

Sua casa é seu corpo maior.

Ela cresce no sol e dorme no silêncio da noite; e não é incapaz de sonhar. Sua casa não sonha? E sonhando, não troca a cidade por um bosque ou uma colina?

Quem dera eu pudesse juntar suas casas em minhas mãos e, como um semeador, espalhá-las na floresta e no campo.

Os vales seriam suas ruas, e os caminhos verdejantes, seus becos, para que procurassem umas às outras por vinhedos e retornassem com a fragrância da terra em suas vestes.

Mas tais coisas ainda não são possíveis.

Seus ancestrais os juntaram muito próximos por medo. E esse medo deve perdurar um pouco mais. Os muros das cidades separarão seus corações de seus campos por um pouco mais de tempo.

— E diga-me, povo de Orphalese, o que vocês têm nestas casas? E o que vocês guardam a portas fechadas?

Sua paz, a vontade silenciosa que revela seu poder?

Suas lembranças, os arcos reluzentes que vão até o píncaro da mente?

Sua beleza, que conduz o coração de coisas feitas de madeira e pedra em direção às montanhas sagradas?

Me respondam, vocês têm isso em suas casas?

Ou têm apenas o conforto e o desejo por conforto, aquela coisa furtiva que adentra a casa como convidada e então se transforma em anfitrião e depois em mestre?

— Sim, e se transforma em um domador e, com gancho e chicote, faz marionetes de seus maiores desejos.

Apesar de suas mãos serem sedosas, seu coração é de gelo.

Ele embala seu sono somente para ficar ao lado de sua cama, escarnecendo da dignidade da carne.

Ele faz pouco de sua razão e a abandona na brisa, como vasos frágeis.

Na verdade, o desejo por conforto mata a paixão da alma e então adentra sorridente o funeral.

Mas vocês, filhos da imensidão, vocês são inquietos no repouso, vocês não devem ser aprisionados nem domados.

Sua casa não deve ser uma âncora, e sim um mastro.

Não deve ser uma película cintilante que cobre a ferida, mas uma pálpebra que guarda o olho.

Você não deve dobrar as asas para conseguir passar pelas portas, nem curvar a cabeça para que ela não bata no teto, nem temer que, ao respirar, as paredes rachem e desmoronem.

Você não deve morar em tumbas feitas pelos mortos para os vivos.

E apesar de sua magnificência e esplendor, sua casa não deve guardar seus segredos nem abrigar seus desejos.

Pois aquilo que é imenso em vocês habita a mansão do céu, cuja porta é a neblina da manhã e cujas janelas são as músicas e os silêncios da noite.

E o tecelão disse:
— Fale para nós sobre **Vestes**.
E ele respondeu:
— Suas vestes escondem muito de sua beleza, ainda assim elas não escondem o que não é belo.

E, apesar de vocês procurarem nas vestimentas a liberdade da privacidade, podem encontrar nelas um jugo e uma corrente.

Gostaria que vocês pudessem encontrar o sol e o vento com mais pele e menos tecido,

Pois o sopro da vida está na luz do sol, e a mão da vida está no vento.

Alguns de vocês dizem: "É o vento norte que teceu as vestes que usamos".

E eu digo, sim, foi o vento norte,

Mas a vergonha foi o seu tear, e o esmaecimento dos tendões, seu fio.

E quando seu trabalho terminou, ele riu na floresta. Não se esqueçam de que a modéstia é como um escudo para os olhos do impuro.

E quando os impuros não mais existirem, o que foi a modéstia senão o grilhão e uma sujidade da mente?

E não se esqueçam de que a terra se delicia ao sentir seus pés descalços e o vento anseia por brincar com seus cabelos.

E um mercador disse:
— Fale para nós sobre Comprar e Vender.

E ele lhes respondeu:

— A terra produz seus frutos a vocês, e não passarão necessidades se souberem como encher as mãos.

É trocando os presentes da terra que vocês encontrarão abundância e ficarão saciados.

Entretanto, a não ser que a troca seja feita com amor e justiça, ela apenas levará alguns à ganância e outros à fome.

Quando, no mercado, vocês, trabalhadores do mar, dos campos e dos vinhedos, se encontrarem com os tecelões e os oleiros e os vendedores de especiarias,

Invoquem então o espírito mestre da terra para vir até vocês abençoar as balanças e o julgamento que pesa valor contra valor. E não deixem que aqueles que têm as mãos vazias tomem parte em suas transações, aqueles que trocarão as palavras deles pelo trabalho de vocês.

Para tais homens, vocês devem dizer:

"Venha conosco para o campo ou vá com seus irmãos para o mar e jogue sua rede;

Pois a terra e o mar serão tão generosos com você como são conosco."

— E se vierem os cantores e os dançarinos e os flautistas, paguem também pelos seus dons.

Pois eles também são colhedores de frutos e incenso, e o que eles trazem, apesar de feito de sonhos, é veste e alimento para a alma.

E antes de deixar o mercado, certifiquem-se de que ninguém saiu de lá de mãos vazias.

Pois o espírito mestre da terra não dormirá tranquilamente sobre o vento até que as necessidades do último de vocês sejam satisfeitas.

Então um dos juízes da cidade se aproximou e disse:

— Fale conosco sobre **Crime e Punição**.

E ele respondeu, explicando:

— É quando seu espírito sai vagando pelo vento,

Que você, sozinho e desprotegido, comete algo errado contra alguém e, por consequência, contra si.

E por esse erro cometido você deve bater e esperar, sendo por um tempo ignorado, nos portões dos abençoados.

Como o oceano é seu eu divino,

Ele permanece para sempre imaculado.

E, como o éter, levanta a todos, com exceção dos alados.

Assim como o sol é seu eu divino;

Ele não conhece o caminho da toupeira nem procura pelos buracos da serpente. Mas seu eu divino não mora sozinho em seu ser.

Muito em você ainda é homem e muito em você não é homem ainda,

E sim um pigmeu disforme que caminha adormecido na névoa, procurando por seu próprio despertar.

E falarei agora do homem em você.

Pois é ele, e não seu eu divino, nem o pigmeu na névoa, que conhece o crime e a punição do crime.

~~~~~~~~~~

— Com frequência ouvi vocês falarem de alguém que cometeu um erro como se ele não fosse um de vocês, mas um estranho e um intruso no mundo de vocês.

Mas eu digo que, do mesmo modo que o sagrado e o justo não podem se elevar para além do limite que há em cada um de vocês,

O perverso e o fraco não podem decair além do limite que também há em vocês.

E como uma folha não fica amarela sem o conhecimento de toda a árvore, assim o malfeitor não pode fazer mal sem o desejo escondido de todos vocês.

Como uma procissão, vocês andam juntos em direção a seus eus divinos.

~~~~~~~~~~

Vocês são o caminho e os viajantes.

E quando um de vocês cai, ele cai pelos que estão atrás dele, um aviso contra o tropeço na pedra.

Sim, e ele cai por aqueles à sua frente que, apesar de mais rápidos e com passos mais firmes, ainda assim deixaram de remover a pedra em que ele tropeçou.

E isto também, apesar de o mundo pesar em nossos corações:

O assassinado tem responsabilidade por seu próprio assassinato,

E o assaltado também tem culpa de seu assalto.

O justo não é inocente em relação aos feitos do ímpio,

E o que tem as mãos limpas não está livre de culpa dos feitos do criminoso.

Sim, o culpado é com frequência vítima do prejudicado,

E ainda com mais frequência o condenado é quem carrega o fardo dos inocentes e insuspeitos.

Não se separa o justo do iníquo e o bom do ímpio;

Pois eles estão juntos perante o sol, assim como o fio preto e o fio branco são tecidos juntos.

E quando o fio preto se parte, o tecelão deve olhar todo o tecido e examinar o tear também.

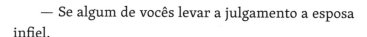

— Se algum de vocês levar a julgamento a esposa infiel,

Pese também o coração de seu marido e lhe meça a alma.

E que aquele que açoitaria o ofensor olhe dentro do espírito do ofendido.

E se algum de vocês gostaria de punir em nome da justiça e derrubar com o machado a árvore da maldade, que examine suas raízes;

E na verdade encontrará as raízes do bem e do mal, o frutífero e o infrutífero, todas entrelaçadas juntas no coração silencioso da terra.

E vocês, juízes do que é justo,

Que julgamento pronunciarão sobre aquele que, apesar de ser honesto na carne, é um ladrão em seu espírito?

Que penalidade vocês aplicariam àquele que assassina a carne e, no entanto, é ele mesmo assassinado em espírito?

E como vocês julgariam aquele que é enganador nas ações e um opressor,

E ainda assim é também ofendido e ultrajado?

— E como deveriam vocês punir aqueles cujo remorso já é maior do que seus crimes?

Não é remorso a justiça que é administrada pela mesma lei que vocês servem tão fervorosamente?

Porém, vocês não conseguem colocar remorso no coração do inocente, nem o tirar do coração do culpado.

Espontaneamente ele deve chamar na noite, para que os homens possam acordar e olhar para si mesmos.

E vocês que entendem de justiça, como poderiam fazê-lo, a menos que vissem todos os atos sob a luz plena?

Só então vocês saberão que o altivo e o caído são apenas um homem no crepúsculo entre a noite de seu eu-pigmeu e o dia de seu eu-divino, e que a pedra angular do templo não é mais alta do que a pedra mais baixa de sua fundação.

Então um advogado disse:
— Mas e as nossas Leis, mestre?
E ele respondeu:
— Você sente prazer em criar leis,
Ainda assim, sente ainda mais prazer em infringi-las.

Como crianças brincando perto do mar, construindo castelos de areia com empenho e então os destruindo aos risos.

Mas enquanto você constrói seus castelos de areia, o mar traz mais areia para a praia,
E quando você os destrói, o mar ri com você.
Na verdade, o mar sempre ri com o inocente.

Mas e aquelas pessoas para quem a vida não é um mar e as leis criadas pelos homens não são castelos de areia?

Mas cuja vida é uma rocha, e a lei, um formão, com o qual elas a esculpem à sua semelhança? E o aleijado que odeia dançarinos?

O que dizer do boi que adora sua canga e considera o alce e a corça da floresta seres perdidos e indigentes?

O que dizer da velha serpente que não consegue trocar de pele e chama todas as outras de despidas e desavergonhadas?

E dele que chega cedo no banquete de casamento, e quando já está empanturrado e cansado, vai embora dizendo que todos os banquetes são violações, e todos os participantes, infratores da lei?

— O que devo dizer dessas pessoas a não ser que elas também estão de pé sob a luz do sol, mas com as costas viradas para ele?

Elas veem apenas suas sombras e essas sombras são suas leis.

E o que é o sol para elas, senão um conjurador de sombras?

E o que é reconhecer as leis, senão se curvar e traçar suas sombras na terra?

Mas você que anda de frente para o sol, o que imagens desenhadas na terra podem fazer para segurá-lo?

Você que viaja com o vento, que cata-vento direcionará seu caminho?

Quais leis do homem o prenderão, se você se libertar de seu jugo, mas longe das portas da prisão do homem?

Quais leis você temerá, se dançar mas não tropeçar nas correntes de ferro do homem?

E quem é que o julgará, se você arrancar suas roupas, mas não deixá-las no caminho de nenhum homem?

~~~~~~

— Povo de Orphalese, vocês podem abafar o tambor e afrouxar as cordas da lira, mas quem impedirá a cotovia de cantar?

~~~~~~

Um orador disse:
— Fale-nos sobre a **Liberdade**.

E ele respondeu:
— Nos portões da cidade e junto a suas lareiras eu tenho visto vocês se prostrando e cultuando a própria liberdade,

Da mesma maneira que escravos se humilham perante um tirano e o glorificam no momento em que ele os massacra.

Sim, no bosque do templo e na sombra da cidade, eu tenho visto os mais livres dentre vocês usando essa liberdade como jugo e algemas.

E meu coração sangrou dentro de mim; pois você só pode ser livre quando até mesmo o desejo de procurar liberdade se torna um arreio, e você deixa de falar sobre a liberdade como uma meta e uma realização.

Vocês não serão livres de fato quando seus dias não tiverem preocupações, ou suas noites forem sem necessidade ou tristeza,

E sim quando essas coisas cercarem sua vida e mesmo assim vocês as superarem, nus e desatados.

— E como você se elevará para além de seus dias e suas noites, a menos que quebre as correntes que você mesmo, no amanhecer de seu conhecimento, amarrou em torno de seu entardecer?

Na verdade, isso que você chama de liberdade é a mais forte dessas correntes, apesar de seus elos brilharem à luz do sol e deslumbrarem seus olhos.

E o que são, além de fragmentos de si mesmo que você descartaria para se tornar livre?

Se é uma lei injusta que você gostaria de abolir, essa lei foi escrita com suas próprias mãos, em sua própria testa.

Você não pode apagá-la queimando seus livros de leis nem lavando as testas de seus juízes, mesmo que entorne o mar sobre eles.

E se for um déspota que você gostaria de destronar, veja primeiro se o trono construído dentro de você está destruído.

Pois como um tirano pode governar o livre e orgulhoso a não ser por meio da tirania sobre sua própria liberdade e da vergonha em seu próprio orgulho?

E se é uma preocupação da qual você quer se livrar, este fardo foi escolhido por você, e não imposto.

E se é um medo que você quer dissipar, o assento desse medo está em seu coração, não nas mãos de quem você teme.

— Na verdade, as coisas se movem dentro de seu ser em constante semiabraço, o desejado e o temido, o repugnante e o festejado, o perseguido e aquele de quem você quer escapar.

Essas coisas se movem dentro de você como luzes e sombras em pares que se agarram.

E quando a sombra desvanece e não existe mais, a luz que fica se torna uma sombra para outra luz.

E assim sua liberdade, quando perde seus grilhões, se torna, ela mesma, o grilhão de uma liberdade maior.

E a sacerdotisa pediu novamente:
— Fale para nós sobre Razão e Paixão.

E ele respondeu, dizendo:

— Sua alma é muitas vezes um campo de batalha, onde sua razão e seu julgamento travam uma guerra contra sua paixão e seu desejo.

Eu gostaria de poder ser o apaziguador em sua alma, de poder transformar a discórdia e rivalidade de suas características em unidade e melodia.

Mas como posso ser, a não ser que vocês mesmos sejam os apaziguadores, ou melhor, os amantes de todas as suas características?

Sua razão e sua paixão são o timão e as velas de sua alma navegante.

Se suas velas ou seu timão estão quebrados, você fica à deriva, ou parado no meio do mar. Pois a razão, quando reina soberana, é uma força confinadora; e a paixão, por si só, é uma chama que queima até sua própria destruição.

Portanto, deixe sua alma exaltar sua razão até os limites da paixão, para que possa cantar;

E deixe que ela direcione sua paixão com razão, para que sua paixão possa viver através de sua própria ressurreição diária e, como a fênix, ressurja de suas próprias cinzas.

— Eu gostaria que considerassem seu julgamento e seu desejo como dois queridos convidados em sua casa.

Com certeza você não trataria um convidado melhor do que outro; pois aquele que presta mais atenção a um perde o amor e a confiança de ambos.

Entre as colinas, quando você senta na sombra fresca dos álamos, dividindo a paz e serenidade de campos e pradarias distantes, deixe seu coração dizer em silêncio: "Deus repousa na razão".

E quando a tempestade vier e o poderoso vento balançar as florestas, e trovões e raios proclamarem a majestade do céu, deixe seu coração dizer em admiração: "Deus se move na paixão".

E como você é um sopro no plano de Deus e uma folha na floresta de Deus, você também deve descansar na razão e mover-se na paixão.

E uma mulher disse:
— Fale-nos sobre a Dor.
E ele afirmou:
— Sua dor é o rompimento da casca que envolve sua compreensão.

Assim como a semente do fruto precisa se romper para que seu coração se erga sob o sol, você deve conhecer a dor.

Se você pudesse manter seu coração maravilhado com os milagres diários em sua vida, sua dor não pareceria menos extraordinária que sua alegria;

E você aceitaria as estações de seu coração, assim como sempre aceitou as estações que passam sobre seus campos.

E você observaria com serenidade durante os invernos de sua tristeza.

Muita da sua dor é autoinfligida.

É uma poção amarga com que o médico dentro de você cura seu eu adoecido.

Portanto, confie no médico e beba seu remédio em silêncio e tranquilidade: pois sua mão, apesar de pesada e firme, é guiada pela terna mão do Invisível, e a taça que ela traz, apesar de queimar seus lábios, é feita da argila que o Oleiro umedeceu com Suas próprias lágrimas.

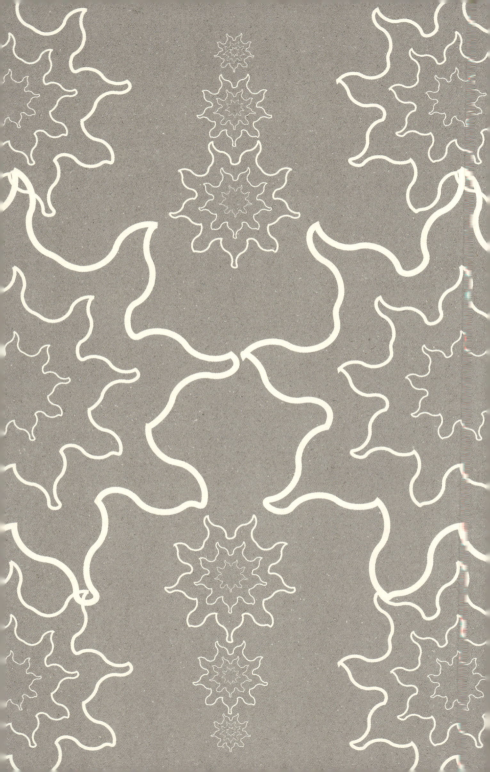

E um homem disse:
— Fale para nós sobre **Autoconhecimento**.

E ele respondeu, explicando:
— Seus corações conhecem em silêncio os segredos dos dias e das noites.

Mas seus ouvidos são sedentos pelo som do conhecimento do seu coração.

Você quer saber em palavras o que sempre soube em pensamento.

Você quer tocar com seus dedos o corpo nu dos seus sonhos.

E é bom que queira isso.

A nascente escondida de sua alma deve surgir e correr murmurante para o mar;

E o tesouro de sua profundeza infinita seria revelado a seus olhos.

Mas que não existam balanças para pesar seu tesouro desconhecido;

E não procure as profundezas do seu conhecimento com um cajado ou uma sonda.

Pois seu eu é um mar ilimitado e imensurável.

— Não diga "eu encontrei a verdade", e sim "eu encontrei uma verdade".

Não diga "eu encontrei o caminho para a alma". E sim "eu encontrei a alma que anda por meu caminho".

Pois a alma anda por todos os caminhos.

A alma não anda sobre uma linha nem cresce como o junco.

A alma se desdobra, como uma lótus de incontáveis pétalas.

Então incitou uma professora:
— Fale-nos sobre Ensinar.

E ele disse:

— Ninguém pode revelar algo a você que já não estivesse adormecido na aurora de seu conhecimento.

O professor que anda pelas sombras do templo, entre seus seguidores, não entrega seu conhecimento, e sim sua fé e sua ternura.

Se ele é realmente sábio, não pede para que você entre na morada do conhecimento dele; em vez disso, ele o guia para a entrada de sua própria mente.

O astrônomo pode falar com você sobre a compreensão que ele tem do espaço, mas não pode lhe dar essa compreensão.

O músico pode cantar para você sobre o ritmo que está por todo lado, mas ele não pode lhe dar o ouvido capaz de capturar o ritmo nem a voz que o ecoa. E aquele que é versado na ciência dos números pode falar do que concerne o peso e as medidas, mas não pode levá-lo além disso,

Pois a visão de um homem não empresta suas asas a outro homem.

E assim como cada um de vocês é um ser único para Deus, cada um de vocês deve ter seu próprio conhecimento de Deus e de seu entendimento da terra.

E um jovem disse:
— Fale para nós sobre **Amizade**.

E ele declarou:
— Seu amigo é a sua necessidade atendida.
Ele é seu campo, onde você semeia com amor e colhe com gratidão.
E ele é sua mesa e sua lareira.
Pois você vem até ele com sua fome e você o procura em busca de paz.
Quando seu amigo fala o que pensa, você não teme o "não" em sua própria mente, nem segura o "sim".
E quando ele está em silêncio, seu coração não para de ouvir o coração dele;
Pois, sem palavras, em uma amizade todos os pensamentos, todos os desejos, todas as expectativas nascem e são compartilhados, como uma alegria não proclamada.
Quando você se separa de seu amigo, você não fica triste;
Pois aquilo que você mais ama nele talvez fique mais claro em sua ausência, como a montanha para o alpinista é mais clara da planície. E que não exista propósito na amizade a não ser o aprofundamento do espírito.

Pois o amor que procura algo além da revelação de seu próprio mistério não é amor, mas uma rede de pesca: e apenas o indesejado é pego.

— E deixe o seu melhor para seu amigo.

Se ele deve conhecer sua maré baixa, deixe que ele conheça sua cheia também.

Pois para que serve seu amigo, se você o procura para matar o tempo?

Procure-o sempre para viver o tempo.

Pois ele deve preencher sua necessidade, mas não seu vazio.

E, na doçura da amizade, deixe que haja risos e compartilhamento de prazeres.

Pois, no orvalho das pequenas coisas, o coração encontra sua manhã e se refresca.

Então um erudito pediu:
— Fale-nos sobre Conversar.
Ele respondeu:
— Você conversa quando deixa de estar em paz com seus pensamentos;

E quando você não consegue mais habitar a solidão de seu coração, muda-se para seus lábios, e o som é uma distração e um passatempo.

E em muito da sua conversa, uma parte do pensamento é morta.

Pois o pensamento é um pássaro que requer espaço, que em uma gaiola de palavras pode até abrir as asas, mas não pode voar.

Existem aqueles entre vocês que procuram a conversa por medo de ficarem sozinhos.

O silêncio da solidão revela aos olhos deles seu eu desnudo e eles fogem disso.

E existem aqueles que conversam e, sem perceber ou pensar duas vezes, revelam uma verdade que eles mesmos não entendem.

E há aqueles que têm a verdade dentro de si, mas não a dizem com palavras.

No peito de pessoas como essas, o espírito mora em silêncio ritmado.

— Quando você encontra seu amigo na beira da estrada ou no mercado, deixe que o espírito em você mova seus lábios e direcione sua língua.

Deixe que a voz dentro de sua voz fale com o ouvido dentro do ouvido dele.

Pois a alma dele recordará a verdade de seu coração como o sabor do vinho é lembrado

Quando a cor é esquecida e a garrafa já não existe mais.

E um astrônomo disse:
— Mestre, e o Tempo?
E ele respondeu:
— Você gostaria de medir o tempo imensurável e infinito.

Você ajustaria sua conduta e até mesmo direcionaria o curso de seu espírito de acordo com as horas e estações.

Com o tempo, você faria um riacho e, em sua margem, você sentaria e o observaria correndo.

Ainda assim, o atemporal em você está ciente da atemporalidade da vida.

E sabe que o ontem não é nada além da memória do hoje, e o amanhã é o sonho do hoje.

E aquilo que canta e contempla em você ainda mora dentro das fronteiras daquele primeiro momento que espalhou as estrelas pelo espaço. Quem dentre vocês não sente que seu poder de amar é infinito?

E que ainda assim não sente esse mesmo amor, apesar de infinito, contido dentro do seu ser, e não se movendo de um pensamento amoroso para outro, nem de atos de amor para outros atos de amor?

E não é o tempo, assim como o amor, indivisível e descompassado?

~~~~~~~

— Mas, se em seu pensamento você deve medir o tempo em estações, que cada estação compreenda todas as estações,

E que o hoje abrace o passado com lembrança, e o futuro, com anseio.

~~~~~~~

E um dos anciões da cidade disse:
— Fale para nós sobre o **Bem e o Mal**.

E ele respondeu:
— Pois o que é o mal a não ser o bem torturado por sua própria fome e sede?

É verdade que, quando o bem tem fome, ele procura comida mesmo nas cavernas mais escuras, e quando tem sede, bebe mesmo de águas mortas.

Você é bom quando é bom consigo mesmo.

Ainda assim, quando você não é bom consigo mesmo, você não é mau.

Pois uma casa dividida não é um antro de ladrões; é apenas uma casa dividida.

E um navio sem timão pode ficar à deriva por entre ilhas perigosas e ainda assim não afundar. Você é bom quando se esforça em se doar.

E, no entanto, não é mau quando está em busca de um ganho pessoal.

Pois, quando você se esforça por lucro, você não é nada além de uma raiz que se agarra ao solo e suga de seu seio.

Obviamente, o fruto não pode dizer para a raiz: "Seja como eu, cresça e amadureça e dê aos outros de sua abundância".

Pois, para o fruto, dar é uma necessidade, assim como receber é uma necessidade para a raiz.

―――

— Você é bom quando está totalmente desperto em seu discurso,

Ainda assim, você não é mau quando adormece e sua língua vacila sem propósito.

E, mesmo vacilando, um discurso pode fortalecer a língua fraca.

Você é bom quando anda com firmeza e passos corajosos em direção a seu propósito.

Ainda assim, você não é mau quando prossegue mancando. Mesmo aqueles que mancam não andam para trás.

Mas, você que é forte e rápido, cuide para que não manque na frente do aleijado, julgando ser uma bondade.

―――

— Você é bom de incontáveis maneiras e você não é mau quando não é bom,

Você é apenas indolente e preguiçoso.

É uma pena a corça não poder ensinar velocidade a uma tartaruga.

No desejo pelo seu eu gigante, repousa sua bondade: e esse desejo está em todo o seu ser.

Mas em alguns de vocês esse desejo é uma torrente correndo com força para o mar, carregando os segredos das encostas e as canções das florestas.

E, em outros, é um córrego que se perde em ângulos e curvas e se demora até alcançar o litoral.

Mas não deixemos que aquele que deseja muito diga para aquele que deseja pouco: "Por que você é lento e hesitante?".

Pois quem é bom de verdade não pergunta ao desnudo: "Onde estão suas vestes?", nem ao desabrigado: "O que aconteceu com sua casa?".

Então uma sacerdotisa disse:

— Fale para nós sobre a Oração.

E ele respondeu, refletindo:

— Você ora na angústia e na necessidade; que bom seria se você também orasse na extrema alegria e em seus dias de abundância.

Pois o que é a oração senão a expansão de si mesmo para o éter vivo?

E se lhe faz bem derramar sua escuridão no cosmo, é também para seu deleite derramar o amanhecer de seu coração.

E se você não consegue evitar chorar quando sua alma o convoca para orar, ela então deveria convocá-lo repetidamente, mesmo chorando, até você começar a rir.

Quando você ora, ascende para encontrar no ar aqueles que estão orando na mesma hora e quem você não encontraria, exceto em oração.

Portanto, faça com que sua visita àquele templo seja invisível para qualquer coisa além do êxtase e da doce comunhão.

Pois, se você entrar no templo sem nenhum outro propósito que não o de pedir, você não receberá;

E se entrar nele para se humilhar, você não será exaltado;

E mesmo que você entre nele para pedir pelo bem dos outros, não será ouvido.

Será o bastante que você entre no templo despercebido.

— Eu não posso ensiná-los como orar em palavras.

Deus não ouve suas palavras a não ser quando Ele mesmo as pronuncia através de seus lábios.

E eu não posso lhe ensinar as orações dos mares, das florestas e das montanhas. Mas vocês, que são nascidos das montanhas, das florestas e dos mares, podem encontrar a oração deles em seus corações,

E se vocês prestarem atenção no silêncio da noite, vão ouvi-los dizendo em silêncio,

"Deus nosso, que é nosso eu-alado, é vossa vontade em nós que apraz.

E o vosso desejo em nós que deseja.

É vosso apelo em nós que tornará nossas noites, que são tuas, em dias que são também teus.

Não podemos pedir a ti por nada, pois vós conheceis nossas necessidades antes que elas nasçam:

Vós sois nossa necessidade; e nos dando mais de ti, nos dá tudo".

Então um ermitão, que visitava a cidade uma vez ao ano, se aproximou e disse:

— Fale-nos sobre o Prazer.

E ele respondeu:

— O prazer é uma canção de liberdade,
Mas não é a liberdade.
É o desabrochar de seus desejos,
Mas não é seu fruto.
É uma profundidade chamando por uma altura,
Mas não é o fundo nem o topo.
É o aprisionado criando asas,
Mas não é o espaço em volta.
Sim, na verdade, prazer é uma canção de liberdade.

E eu de bom grado ouviria vocês cantando com todo o seu coração; ainda assim, não gostaria que vocês perdessem seus corações cantando.

Alguns de seus jovens procuram prazer como se isso fosse tudo e eles são julgados e repreendidos. Eu não os julgaria nem repreenderia. Eu os faria procurar.

Pois eles vão encontrar prazer, mas não só;
Sete são suas irmãs, e a última delas é mais bonita do que o prazer.

Já ouviram falar do homem que estava cavando a terra à procura de raízes e encontrou um tesouro?

— E alguns de seus anciões se lembram dos prazeres com arrependimento, como se fossem erros cometidos na bebedeira.

Mas o arrependimento é o enevoamento da mente, e não seu castigo.

Eles deveriam se lembrar de seus prazeres com gratidão, como fazem com a colheita do verão.

Ainda assim, se os conforta se arrependerem, deixe que se confortem.

E há entre vocês aqueles que não são jovens para procurar nem velhos para se lembrar;

E em seu medo de procurar e se lembrar dispensam todos os prazeres, pois assim não negligenciam nem ofendem o espírito.

Mas mesmo nessa atitude reside o prazer.

E assim, eles também encontram um tesouro, apesar de cavarem ao procurar pelas raízes tendo as mãos trêmulas.

Mas me diga, quem é que pode ofender o espírito?

O rouxinol ofende o silêncio da noite ou o vagalume ofende as estrelas?

E deve sua chama ou sua fumaça sobrecarregar o vento?

Você acha que o espírito é uma poça d'água que se pode perturbar com um cajado?

— Frequentemente ao se negar o prazer você apenas acumula os desejos nos recessos do seu ser.

E quem garante que o que foi escondido hoje não espera pelo amanhã?

Mesmo seu corpo conhece sua herança e seu desejo e não será enganado.

E seu corpo é a harpa da sua alma,

E cabe a você extrair dela doces canções ou sons confusos.

— E agora você pergunta em seu coração: "E como devemos distinguir aquilo que é bom no prazer daquilo que não é?".

Vá para seus campos e seus jardins e você aprenderá que é o prazer da abelha colher o mel da flor,

Mas é também o prazer da flor entregar seu mel para a abelha.

Pois para a abelha a flor é uma fonte da vida,

E para a flor, a abelha é uma mensageira do amor,

E para ambas, abelha e flor, dar e receber prazer são uma necessidade e um êxtase.

Povo de Orphalese, seja em relação aos prazeres como as flores e as abelhas.

E um poeta disse:
— Fale para nós sobre a **Beleza**.

E ele respondeu:
— Onde vocês devem procurar a beleza e como vocês podem encontrá-la a não ser que ela mesma seja seu caminho e seu guia?

E como podem vocês falar dela a não ser que ela seja a tecelã de sua fala?

Os aflitos e os feridos dizem: "A beleza é boa e gentil.

Como uma jovem mãe um tanto envergonhada de sua própria glória, ela anda entre nós."

E os apaixonados dizem: "Não, beleza é uma coisa poderosa e temível.

Como a tempestade, ela faz tremer a terra sob nós e o céu sobre nós."

Os exaustos dizem: "A beleza é feita de sussurros suaves. Ela fala em nosso espírito. Sua voz cede aos nossos silêncios como uma luz fraca que treme por medo das sombras".

Mas os inquietos dizem: "Nós a ouvimos gritando entre as montanhas,

E com seus gritos vieram o som de cascos, o bater de asas e o rugido de leões."

E os vigias noturnos da cidade dizem: "A beleza deve se erguer com o amanhecer no leste".

E ao meio-dia os trabalhadores e viajantes dizem: "Nós a vimos se inclinar sobre a terra das janelas do pôr do sol".

~~~~~~~

— No inverno, o nascido da neve diz: "Ela deve vir com a primavera saltitando pela colina".

E, no calor do verão, os homens do campo dizem: "Nós a vimos dançando com as folhas do outono e vimos traços de neve em seu cabelo". Todas essas coisas vocês disseram da beleza,

No entanto, não falaram dela, e sim de necessidades insatisfeitas,

E a beleza não é uma necessidade, e sim um êxtase.

Não é uma boca sedenta nem uma mão vazia estendida,

Mas, sim, um coração inflamado e uma alma encantada.

Não é a imagem que você pode ver ou a música que pode ouvir,

Mas, sim, uma imagem que se vê mesmo quando fechamos os olhos e uma canção que se ouve mesmo com ouvidos tapados.

Não é a seiva contida na casca enrugada da árvore, nem uma asa presa a uma garra,

Mas, sim, um jardim eternamente florido e um grupo de anjos voando para sempre.

― Povo de Orphalese, a beleza é a vida quando a vida revela sua face sagrada.

Mas vocês são a vida e vocês são o véu. A beleza é a eternidade se admirando em um espelho.

Mas vocês são a eternidade e vocês são o espelho.

E um velho sacerdote incitou:
— Fale para nós sobre Religião.
E ele perguntou:
— E eu falei de alguma outra coisa neste dia?

Não é religião todas as ações e reflexões,
E aquilo que não é nem ação nem reflexão, mas o pensamento e a admiração sempre brotando na alma, mesmo quando as mãos talham a pedra ou cuidam do tear?

Quem consegue separar sua fé de suas ações ou suas crenças de suas ocupações?

Quem pode organizar suas horas dizendo assim: "Essa para Deus e essa para mim; essa para minha alma e essa outra para meu corpo?".

Todas as suas horas são asas que voam pelo infinito de pessoa em pessoa. Aquele que veste sua moralidade como sua melhor vestimenta estaria melhor nu.

O vento e o sol não abrirão buracos na pele dele.

E o que define sua conduta pela ética aprisiona seu rouxinol em uma gaiola.

A mais livre das canções não vem através de barras e fios.

E aquele para quem cultuar é uma janela, para abrir mas também para fechar, ainda não visitou a casa de sua alma cujas janelas são de amanhecer a amanhecer.

~~~~~~~

— Seu cotidiano é seu templo e sua religião.

Sempre que você entrar nele, leve consigo tudo o que você é.

Leve o arado e a forja, o martelo e o alaúde,

As coisas que você criou por necessidade ou divertimento.

Pois em devaneios você não pode ascender acima de seus feitos nem cair além de seus fracassos.

E leve com você todos os homens: pois, em adoração, você não pode voar mais alto do que as esperanças deles nem se humilhar além do desespero deles.

~~~~~~~

— E se você quer conhecer Deus, não seja então um decifrador de charadas.

Em vez disso, olhe para você e O verá brincando com seus filhos.

E olhe para o céu e você O verá caminhando pelas nuvens, esticando Seus braços nos relâmpagos e descendo na chuva.

Você O verá sorrindo nas flores, e então se erguendo e acenando nas árvores.

~~~~~~~

Então Almitra falou:
— Gostaríamos de perguntar agora sobre a **Morte**.

E ele disse:
— Vocês querem conhecer o segredo da morte.

Mas como vocês poderiam encontrá-lo a não ser procurando no coração da vida?

A coruja, cujos olhos noturnos são cegos sob a luz do dia, não pode revelar os mistérios da luz.

Se vocês querem mesmo contemplar o espírito da morte, abram o coração para o corpo da vida.

Pois vida e morte são uma só; assim como o rio e o mar são um.

Nas profundezas de suas esperanças e de seus desejos, jaz seu conhecimento silencioso do além;

E, como sementes sonhando debaixo da neve, seu coração sonha com a primavera.

Confie nos sonhos, pois neles está escondido o portão para a eternidade. Seu medo da morte não é nada mais do que o tremor do pastor que encontra seu rei, cuja mão será colocada sobre ele em honraria.

O pastor não está feliz, apesar de seu tremor, em usar a marca de seu rei?

Ainda assim, ele não está mais consciente de seu tremor?

— Pois o que é morrer senão ficar nu no vento e derreter no sol?

E o que é deixar de respirar senão libertar a respiração de sua incansável maré, para que ela possa ascender, expandir e procurar Deus livremente?

Somente quando beber do rio do silêncio você cantará realmente.

E quando alcançar o topo da montanha, então você começará a escalar.

E quando a terra reivindicar seu corpo, então você dançará de verdade.

E então anoiteceu.

E Almitra, a vidente, disse:

— Abençoado seja este dia e este lugar, e seu espírito que nos falou.

E ele respondeu:

— Fui eu quem falou? Não fui eu também um ouvinte?

Então ele desceu os degraus do templo e foi seguido por todo o povo. E ele alcançou seu navio e ficou parado no convés.

E encarando o povo novamente, ergueu sua voz e anunciou:

— Povo de Orphalese, o vento pede que eu os deixe.

Estou com menos pressa que o vento, ainda assim tenho que ir.

Nós, andarilhos, sempre procurando o caminho da solidão, não começamos um dia onde terminamos o outro; e o nascer do sol não nos encontra no mesmo lugar em que nos deixou. Mesmo quando a terra dorme, nós viajamos.

Somos as sementes de uma planta obstinada, e é quando estamos maduros com nossos corações cheios que somos levados pelo vento e espalhados.

— Breves foram meus dias entre vocês e mais breves ainda as palavras que proferi.

Mas, se minha voz desvanecer em seus ouvidos e meu amor desaparecer de suas memórias, então eu voltarei,

E, com um coração mais rico e lábios mais propensos ao espírito, eu falarei.

Sim, retornarei com a maré,

E mesmo que a morte possa me esconder e o grande silêncio me envolver, ainda assim procurarei sua compreensão.

E não procurarei em vão.

Se alguma coisa do que eu disse for verdade, essa verdade se revelará em uma voz mais clara e em palavras mais familiares aos seus pensamentos.

Eu vou com o vento, povo de Orphalese, mas não rumo ao vazio; e se este dia não saciar suas necessidades e meu amor, então que seja uma promessa para outro dia.

As necessidades da humanidade mudam, mas não seu amor, nem seu desejo de que seu amor satisfaça suas necessidades.

Saibam, por conseguinte, que do grande silêncio eu retornarei.

A névoa que vai embora ao amanhecer, deixando nada além de orvalho nos campos, vai se erguer e se juntar em uma nuvem e então cairá em forma de chuva.

E eu não tenho sido diferente da névoa.

No silêncio da noite, eu tenho andado por suas ruas e meu espírito tem entrado em suas casas,

E as batidas do coração de vocês estavam em meu coração, e seu hálito estava em meu rosto, e eu conheci todos vocês.

Sim, conheci a alegria de vocês e sua dor, e em seu sono seus sonhos foram os meus.

E com frequência eu estava entre vocês como um lago entre as montanhas.

Eu espelhei os topos em vocês e as encostas íngremes, e até os rebanhos que são seus pensamentos e desejos.

E ao meu silêncio vieram como riachos os risos de suas crianças e o anseio de seus jovens.

E quando eles atingiram minha profundeza, os riachos e rios não pararam de cantar.

Mas algo ainda mais doce que o riso e maior que o anseio veio até mim.

Era a imensidão que há em vocês;

O vasto homem em quem vocês são apenas células e tendões;

Aquele em cujo cântico toda sua cantoria não passa de palpitações silenciosas.

É no homem vasto que vocês são vastos.

E, ao contemplá-lo, eu contemplei e amei vocês.

Pois quais distâncias o amor pode alcançar que não estão na vasta esfera?

Quais visões, quais expectativas e quais presunções podem voar ainda mais alto?

O vasto homem em você é como um carvalho gigante coberto com flores de macieira. O seu poder prende você à terra, sua fragrância o faz subir para o espaço e em sua longevidade você é imortal.

Disseram para vocês que, como uma corrente, você é tão frágil quanto seu elo mais fraco.

Esta é uma meia verdade; você também é tão resistente quanto seu elo mais forte.

Medir vocês pelas suas menores ações é reconhecer o poder do oceano pela fragilidade de sua espuma.

Julgar vocês pelos seus fracassos é culpar as estações por sua inconstância.

Sim, você é como o oceano,

E embora navios pesados aguardem a maré em suas margens, ainda assim, tal como o oceano, você não pode apressar suas marés.

E você é também como as estações,

E embora quando no seu inverno você negue a sua primavera,

Ainda assim a primavera, repousando dentro de você, sorri em seu torpor e não fica ofendida. Não pense que eu digo essas coisas para que vocês possam dizer uns aos outros: "Ele nos elogiou bastante. Ele vê apenas o bem em nós".

Eu apenas falo com vocês em palavras aquilo que vocês mesmos conhecem em pensamento.

E o que é o conhecimento com palavras, se não uma sombra do conhecimento sem palavras?

Seus pensamentos e minhas palavras são ondas de uma memória selada que mantém registros de nosso passado,

E de dias antigos em que a terra não nos conhecia, e nem a ela mesma,

E de noites em que a terra estava cheia de confusão.

~~~~~~~~

— Homens sábios vieram até vocês para lhes dar sua sabedoria. Eu venho para tirar de sua sabedoria:

E eis que eu encontrei o que é maior que a sabedoria.

É um espírito flamejante em vocês, sempre acumulando mais de si,

Enquanto vocês, desatentos de sua expansão, lamentam o fim de seus dias. É a vida em busca de vida em corpos que temem a sepultura.

~~~~~~~~

— Não há sepulturas aqui.

Estas montanhas e planícies são um berço e uma pedra inicial.

Sempre que vocês passarem pelo campo onde descansam seus ancestrais, olhem atentamente e verão a si mesmos e seus filhos dançando de mãos dadas.

Na verdade, vocês com frequência são felizes sem saber.

Outros vieram até vocês a quem, por promessas de ouro feitas à sua fé, vocês não deram nada além de riquezas, poder e glória.

Eu não fiz promessa alguma e, ainda assim, vocês foram mais generosos comigo.

Vocês me deram uma sede mais profunda pela vida.

Com certeza não existe melhor presente para um homem do que aquele que transforma todos os seus objetivos em lábios secos e toda a vida em uma fonte.

E nisso reside minha honra e minha recompensa,

Que sempre que eu vier até a fonte para beber, encontrarei a própria água com sede;

E ela me bebe enquanto eu a bebo.

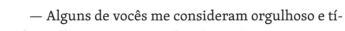

— Alguns de vocês me consideram orgulhoso e tímido em demasia para receber presentes.

Sou realmente orgulhoso para receber pagamentos, mas não presentes.

E, apesar de ter comido frutinhas nas colinas quando vocês teriam me recebido para sentar em sua mesa,

E dormido na entrada dos templos quando vocês de bom grado haveriam me abrigado,

Ainda assim, não teria sido a amável atenção de vocês para com os meus dias e as minhas noites que fizeram mais doce a comida em minha boca e envolveram meus sonhos com visões?

Por isso eu os abençoo:

Vocês dão muito e não sabem que dão tudo. Na verdade, a bondade que se olha no espelho se transforma em pedra,

E uma boa ação que chama a si por um nome afetuoso se torna muito próxima de uma maldição.

— E alguns de vocês me chamaram de distante e de embriagado com minha própria solidão,

E disseram: "Ele congrega com as árvores da floresta, mas não com os homens.

Ele se senta sozinho no topo das colinas e olha de cima para nossa cidade."

É verdade que eu escalei as colinas e andei em lugares remotos.

Como eu poderia vê-los, a não ser de uma grande altura ou uma grande distância?

Como alguém pode estar perto, a não ser que ele esteja longe?

E outros entre vocês me chamaram, não com palavras, e disseram:

"Estranho, estranho, amante das alturas inalcançáveis, por que você mora nas alturas, onde as águias constroem seus ninhos? Por que você procura o inalcançável?

Que tempestades você prende em sua rede,

E que pássaro vaporoso você caça nos céus?

Venha e seja um de nós.

Desça e satisfaça sua fome com nosso pão e mate sua sede com nosso vinho."

Na solidão de suas almas, disseram essas coisas;

Mas, se a solidão deles fosse mais profunda, eles saberiam que eu procuro nada mais do que o segredo de sua alegria e de sua tristeza,

E eu caço apenas o seu eu maior que caminha pelo céu.

~~~~~

— Mas o caçador era também a caça;

Pois muitas das minhas flechas deixaram meu arco para procurarem meu próprio peito.

E o alado também era rastejante;

Pois quando minhas asas estavam abertas no sol, a sombra delas na terra era uma tartaruga.

E eu, o crente, também fui quem duvida; pois com frequência coloquei meu dedo em minha própria ferida para que eu pudesse ter ainda mais fé em vocês e mais conhecimento de vocês.

— E é com essa convicção e esse conhecimento que eu digo,

Vocês não estão presos em seus corpos, nem confinados a casas ou campos.

Aquilo que é você mora acima das montanhas e vaga com o vento.

Não é algo que rasteja para o sol em busca de calor ou cava buracos na escuridão procurando segurança.

Mas uma coisa livre, um espírito que envolve a terra e se move no éter.

Se estas são palavras vagas, então não procure esclarecê-las.

Vago e nebuloso é o começo de todas as coisas, mas não seu fim,

E eu gostaria que vocês se lembrassem de mim como um começo.

A vida, e tudo o que vive, é concebida na névoa e não no cristal. E quem sabe se o cristal não é a névoa que se dissipa?

— Isto é o que gostaria de que se lembrassem ao se lembrarem de mim:

Que o que parece mais frágil e confuso em você é o mais forte e o mais determinado.

Não foi o seu sopro que ergueu e consolidou a estrutura de seus ossos?

E não é um sonho que nenhum de vocês se lembra de ter sonhado que construiu sua cidade e formou tudo que existe nela?

Se pudessem ver as marés desse sopro, vocês deixariam de ver todo o resto,

E se vocês pudessem ouvir os sussurros do sonho, não ouviriam nenhum outro som.

Mas você não vê nem ouve, e está tudo bem.

O véu que cobre seus olhos será levantado pelas mãos que o teceram,

E a argila que enche seus ouvidos será perfurada pelos dedos que a moldaram. E você verá.

E você ouvirá.

Ainda assim, não lamentará ter conhecido a cegueira, nem se arrependerá de ter sido surdo,

Pois neste dia você conhecerá o propósito em todas as coisas,

E você abençoará as trevas como abençoa a luz.

Depois de dizer essas coisas, ele olhou em volta e viu o capitão do navio em pé próximo ao leme olhando para a vela aberta e depois para o horizonte.

E ele disse:

— Paciente, muito paciente é o capitão do navio que me espera.

O vento sopra e incansáveis são as velas;
Até o timão pede por direção;
Ainda assim meu capitão aguarda em silêncio.

E esses meus marinheiros, os quais ouviram o coral do grande mar, eles também me ouviram pacientemente. Agora não devem mais esperar.

Estou pronto.

O rio alcançou o mar e mais uma vez a grande mãe aperta o filho contra seu peito.

— Adeus, povo de Orphalese.

Este dia acabou.

Está se fechando sobre nós como os nenúfares sobre seu próprio amanhã.

O que nos foi dado aqui devemos guardar,

E, caso não seja suficiente, então mais uma vez nos reuniremos e juntos estenderemos a mão para o provedor.

Não esqueçam que eu voltarei para vocês.

Mais um pouco e meu anseio juntará pó e espuma para outro corpo.

Só mais um pouco, um momento de descanso ao vento, e outra mulher me carregará no ventre.

Adeus a vocês e à juventude que gastei com vocês.

Parece que foi ontem que nos encontramos em um sonho. Vocês cantaram para mim em minha solidão, e eu, graças aos seus anseios, fui capaz de construir uma torre no céu.

Mas agora nosso sono fugiu e nossos sonhos acabaram e não é mais de manhã.

O meio-dia está sobre nós e nosso semidespertar se transformou em um dia todo e nós devemos partir.

Se no crepúsculo da memória nos encontrarmos mais uma vez, conversaremos novamente e vocês cantarão para mim uma canção mais profunda.

E, se nossas mãos se encontrarem em outro sonho, nós construiremos outra torre no céu.

Dizendo isso, o profeta sinalizou aos marinheiros, e sem demora eles levantaram âncora, soltaram o navio de suas amarras e se moveram em direção ao oriente.

E um grito veio do povo em uníssono, erguendo-se anoitecer adentro e sendo carregado para o mar como um grande toque de trombetas.

Apenas Almitra ficou em silêncio, olhando para o navio até que ele desaparecesse na neblina.

Enquanto todo o povo se dispersou, ela permaneceu em pé sozinha, perto da amurada, relembrando em seu coração esta frase:

Só mais um pouco, um momento de descanso ao vento, e outra mulher me carregará no ventre.

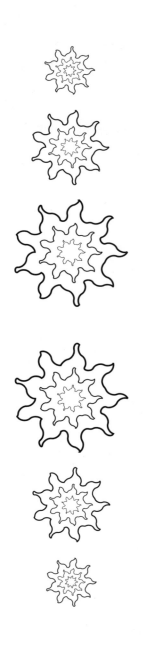